FEDERIGO

Ce conte fantastique fut d'abord publié en 1829
dans la *Revue de Paris*, puis Mérimée l'inséra en 1833
dans la première édition de *Mozaïque*, titre sous lequel
il réunissait différents petits récits déjà publiés.
Mais il le fit disparaître de toutes les rééditions suivantes.
Quelles raisons le poussèrent à se montrer si sévère
pour *Federigo* ? Sans doute n'en était-il pas satisfait,
mais on ignore pourquoi,
de même que l'on ne connaît pas ses sources.
Il semble que Mérimée ait mêlé
plusieurs légendes italiennes.
Une version assez proche est populaire
dans la région de Naples :
on y remarque ce bizarre mélange de mythologie
grecque et de croyances chrétiennes.

© 1994 Grimm Press Ltd., Taipei, Taiwan
© Calligram 1996
pour l'édition française
Tous droits réservés
Imprimé en CEE
ISBN : 2-88445-345-8

COLLECTION STORIA

FEDERIGO

Prosper Mérimée
illustré par
Marine d'Antibes

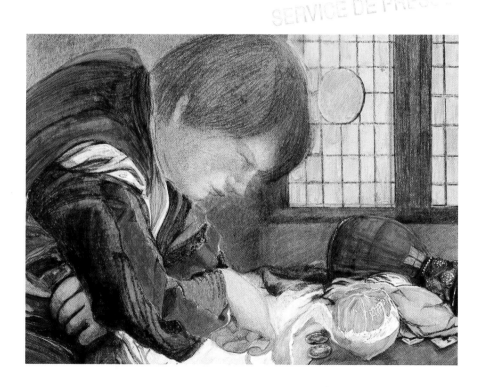

CALLIGRAM
CHRISTIAN ALLIMARD

Il y avait une fois un jeune seigneur nommé Federigo, beau, bien fait, courtois et débonnaire, mais de mœurs fort dissolues, car il aimait avec excès le jeu, le vin et les femmes, surtout le jeu ; n'allait jamais à confesse, et ne hantait les églises que pour y chercher des occasions de péché. Or, il advint que Federigo, après avoir ruiné au jeu douze fils de famille (qui se firent ensuite malandrins et périrent sans confession dans un combat acharné avec les condottieri du roi), perdit lui-même, en moins de rien, tout ce qu'il avait gagné, et, de plus, tout son patrimoine, sauf un petit manoir, où il alla cacher sa misère derrière les collines de Cava.

Trois ans s'étaient écoulés depuis qu'il vivait dans la solitude, chassant le jour et faisant le soir sa partie d'hombre avec le métayer. Un jour qu'il venait de rentrer au logis après une chasse, la plus heureuse qu'il eût encore faite, Jésus-Christ, suivi des saints apôtres, vint frapper à sa porte et lui demanda l'hospitalité. Federigo, qui avait l'âme généreuse, fut charmé de voir arriver des convives, en un jour où il avait amplement de quoi les régaler. Il fit donc entrer les pèlerins dans sa case, leur offrit de la meilleure grâce du monde la table et le couvert, et les pria de l'excuser s'il ne les traitait pas selon leur mérite, se trouvant pris au dépourvu. Notre-Seigneur, qui savait à quoi s'en tenir sur l'opportunité de sa visite, pardonna à Federigo ce petit trait de vanité en faveur de ses dispositions hospitalières.

– Nous nous contenterons de ce que vous avez, lui dit-il ; mais faites apprêter votre souper le plus promptement possible, vu qu'il est tard, et que celui-ci a grand faim, ajouta-t-il en montrant saint Pierre.

Federigo ne se le fit pas répéter, et voulant offrir à ses hôtes quelque chose de plus que le produit de sa chasse, il ordonna au métayer de faire main basse sur son dernier chevreau, qui fut incontinent mis à la broche.

Lorsque le souper fut prêt et la compagnie à table, Federigo n'avait qu'un regret, c'est que son vin ne fût pas meilleur.

– Sire, dit-il à Jésus-Christ,

Sire, je voudrais bien que mon vin fût meilleur :
Néanmoins, tel qu'il est, je l'offre de grand cœur.

Sur quoi, Notre-Seigneur ayant goûté le vin :

– De quoi vous plaignez-vous ? dit-il à Federigo ; votre vin est parfait ; je m'en rapporte à cet homme (désignant du doigt l'apôtre saint Pierre).

Saint Pierre l'ayant savouré, le déclara excellent (proprio stupendo*), et pria son hôte de boire avec lui.

Federigo, qui prenait tout cela pour de la politesse, fit néanmoins raison à l'apôtre ; mais quelle fut sa surprise en trouvant ce vin plus délicieux qu'aucun de ceux qu'il eût jamais goûtés au temps de sa plus grande fortune ! Reconnaissant à ce miracle la présence du Sauveur, il se leva aussitôt comme indigne de manger en si sainte compagnie ; mais Notre-Seigneur lui ordonna de se rasseoir : ce qu'il fit sans trop de façons. Après le souper, durant lequel ils furent servis par le métayer et sa femme, Jésus-Christ se retira avec les apôtres dans l'appartement qui leur avait été préparé. Pour Federigo, demeuré seul avec le métayer, il fit sa partie d'hombre comme à l'ordinaire, en buvant ce qui restait du vin miraculeux.

* Proprement étonnant

Le jour suivant, les saints voyageurs étant réunis dans la salle basse avec le maître du logis, Jésus-Christ dit à Federigo :

— Nous sommes très contents de l'accueil que tu nous as fait, et voulons t'en récompenser. Demande-nous trois grâces à ton choix, et elles te seront accordées ; car toute puissance nous a été donnée au ciel, sur la terre et dans les enfers.

Lors, Federigo tirant de sa poche le jeu de cartes qu'il portait toujours sur lui :

— Maître, dit-il, faites que je gagne infailliblement toutes les fois que je jouerai avec ces cartes.

— Ainsi soit-il ! dit Jésus-Christ. (Ti sia concesso*)

Mais saint Pierre, qui était auprès de Federigo, lui disait à voix basse :

— À quoi penses-tu, malheureux pécheur ? tu devrais demander au maître le salut de ton âme.

— Je m'en inquiète peu, répondit Federigo.

— Tu as encore deux grâces à obtenir, dit Jésus-Christ.

— Maître, poursuivit l'hôte, puisque vous avez tant de bonté, faites, s'il vous plaît, que quiconque montera dans l'oranger qui ombrage ma porte, n'en puisse descendre sans ma permission.

— Ainsi soit-il ! dit Jésus-Christ.

À ces mots, l'apôtre saint Pierre, donnant un grand coup de coude à son voisin :

— Malheureux pécheur, lui dit-il, ne crains-tu pas l'enfer réservé à tes méfaits ? demande donc au maître une place dans son saint paradis ; il en est encore temps...

— Rien ne presse, repartit Federigo en s'éloignant de l'apôtre ; et Notre-Seigneur ayant dit :

— Que souhaites-tu pour troisième grâce ?

— Je souhaite, répondit-il, que quiconque s'assiéra sur cet escabeau, au coin de ma cheminée, ne puisse s'en relever qu'avec mon congé.

Notre-Seigneur, ayant exaucé ce vœu comme les deux premiers, partit avec ses disciples.

* « Que cela te soit accordé. »

Le dernier apôtre ne fut pas plus tôt hors du logis, que Federigo, voulant éprouver la vertu de ses cartes, appela son métayer, et fit une partie d'hombre avec lui sans regarder son jeu. Il la gagna d'emblée, ainsi qu'une seconde et une troisième. Sûr alors de son fait, il partit pour la ville, et descendit dans la meilleure hôtellerie, dont il loua le plus bel appartement. Le bruit de son arrivée s'étant aussitôt répandu, ses anciens compagnons de débauche vinrent en foule lui rendre visite.

— Nous te croyions perdu pour jamais, s'écria don Giuseppe ; on assurait que tu t'étais fait ermite.

— Et l'on avait raison, répondit Federigo.

— A quoi diable as-tu passé ton temps depuis trois ans qu'on ne te voit plus ? demandèrent à la fois tous les autres.

– En prières, mes très chers frères, repartit Federigo d'un ton dévot ; et voici mes *Heures*, ajouta-t-il en tirant de sa poche le paquet de cartes qu'il avait précieusement conservé.

Cette réponse excita un rire général, et chacun demeura convaincu que Federigo avait réparé sa fortune en pays étranger aux dépens de joueurs moins habiles que ceux avec lesquels il se retrouvait alors, et qui brûlaient de le ruiner pour la seconde fois. Quelques-uns voulaient, sans plus attendre, l'entraîner à une table de jeu. Mais Federigo, les ayant priés de remettre la partie au soir, fit passer la compagnie dans une salle où l'on avait servi, par son ordre, un repas délicat, qui fut parfaitement accueilli.

Ce dîner fut plus gai que le souper des apôtres : il est vrai qu'on n'y but que du malvoisie et du lacryma ; mais les convives, excepté un, ne connaissaient pas de meilleur vin.

Avant l'arrivée de ses hôtes, Federigo s'était muni d'un jeu de cartes parfaitement semblable au premier, afin de pouvoir, au besoin, le substituer à l'autre, et, en perdant une partie sur trois ou quatre, écarter tout soupçon de l'esprit de ses adversaires. Il avait mis l'un à sa droite et l'autre à sa gauche.

Lorsqu'on eut dîné, la noble bande étant assise autour d'un tapis vert, Federigo mit d'abord sur table les cartes profanes, et fixa les enjeux à une somme raisonnable pour toute la durée de la séance. Voulant alors se donner l'intérêt du jeu, et connaître la mesure de sa force, il joua de son mieux les deux premières parties, et les perdit l'une et l'autre, non sans un dépit secret. Il fit ensuite apporter du vin, et profita du moment où les gagnants buvaient à leurs succès passés et futurs, pour reprendre d'une main les cartes profanes et les remplacer de l'autre par les bénites.

Quand la troisième partie fut commencée, Federigo ne

donnant plus aucune attention à son jeu, eut le loisir d'observer celui des autres, et le trouva déloyal. Cette découverte lui fit grand plaisir. Il pouvait dès lors vider en conscience les bourses de ses adversaires. Sa ruine avait été l'ouvrage de leur fraude, non de leur bien-jouer ou de leur fortune. Il pouvait donc concevoir une meilleure opinion de sa force relative, opinion justifiée par des succès antérieurs. L'estime de soi (car à quoi ne s'accroche-t-elle pas ?), la certitude de la vengeance et celle du gain, sont trois sentiments bien doux au cœur de l'homme. Federigo les éprouva tous à la fois ; mais, songeant à sa fortune passée, il se rappela les douze fils de famille aux dépens desquels il s'était enrichi ; et, persuadé que ces jeunes gens étaient les seuls honnêtes joueurs auxquels il eût jamais eu affaire, il se repentit pour la première fois des victoires remportées sur eux. Un nuage sombre succéda sur son visage aux rayons de la joie qui perçait, et il poussa un profond soupir en gagnant la troisième partie.

Elle fut suivie de plusieurs autres, dont Federigo s'arrangea pour gagner le plus grand nombre, en sorte qu'il recueillit dans cette première soirée de quoi payer son dîner et un mois du loyer de son appartement. C'était tout ce qu'il voulait pour ce jour-là. Ses compagnons désappointés promirent, en le quittant, de revenir le lendemain.

Le lendemain et les jours suivants, Federigo sut gagner et perdre si à propos, qu' il acquit en peu de temps une fortune considérable, sans que personne en soupçonnât la véritable cause. Alors, il quitta son hôtel pour aller habiter un grand palais où il donnait de temps à autre des fêtes magnifiques. Les plus belles femmes se disputaient un de ses regards ; les vins les plus exquis couvraient tous les jours sa table, et le palais de Federigo était réputé le centre des plaisirs.

Au bout d'un an de jeu discret, il résolut de rendre sa vengeance complète, en mettant à sec les principaux seigneurs du pays. À cet effet, ayant converti en pierreries la plus grande partie de son or, il les invita huit jours d'avance à une fête extraordinaire pour laquelle il mit en réquisition les meilleurs musiciens, baladins, etc., et qui devait se terminer par un jeu des mieux nourris. Ceux qui manquaient d'argent en extorquèrent aux juifs ; les autres apportèrent ce qu'ils avaient, et tout fut raflé.

Federigo partit dans la nuit avec son or et ses diamants.

De ce moment, il se fit une règle de ne jouer à coup sûr qu'avec les joueurs de mauvaise foi, se trouvant assez fort pour se tirer d'affaire avec les autres. Il parcourut ainsi toutes les villes de la terre, jouant partout, gagnant toujours, et consommant en chaque lieu ce que le pays produisait de plus excellent.

Cependant le souvenir de ses douze victimes se présentait sans cesse à son esprit et empoisonnait toutes ses joies.

Enfin, il résolut un beau jour de les délivrer ou de se perdre avec elles.

Cette résolution prise, il partit pour les enfers un bâton à la main et un sac sur le dos, sans autre escorte que sa levrette favorite, qui s'appelait Marchesella. Arrivé en Sicile, il gravit le mont Gibel, et descendit ensuite dans le volcan, autant au-dessous du pied de la montagne que la montagne elle-même s'élève au-dessus de Piamonte. De là, pour aller chez Pluton, il faut traverser une cour gardée par Cerbère*. Federigo la franchit sans difficulté, pendant que Cerbère faisait fête à sa levrette, et vint frapper à la porte de Pluton.

Lorsqu'on l'eut conduit en sa présence :

– Qui es-tu ? lui demanda le roi de l'abîme.

– Je suis le joueur Federigo.

– Que diable viens-tu faire ici?

– Pluton, répondit Federigo, si tu estimes que le premier joueur de la terre soit digne de faire ta partie d'hombre, voici ce que je te propose : nous jouerons autant de parties que tu voudras ; que j'en perde une seule, et mon âme te sera légitimement acquise, avec toutes celles qui peuplent tes États ; mais, si je gagne, j'aurai le droit d'en choisir une parmi tes sujettes, pour chaque partie que j'aurai gagnée, et de l'emporter avec moi.

– Soit, dit Pluton.

Et il demanda un paquet de cartes.

* Nom du chien qui gardait l'entrée des Enfers dans la mythologie grecque.

– En voici un, dit aussitôt Federigo en tirant de sa poche le jeu miraculeux.

Et ils commencèrent à jouer.

Federigo gagna une première partie, et demanda à Pluton l'âme de Stefano Pagani, l'un des douze qu'il voulait sauver. Elle lui fut aussitôt livrée ; et, l'ayant reçue, il la mit dans son sac. Il gagna de même une seconde partie, puis une troisième, et jusqu'à douze, se faisant livrer chaque fois, et mettant dans son sac une des âmes auxquelles il s'intéressait. Lorsqu'il eut complété la douzaine, il offrit à Pluton de continuer.

– Volontiers, dit Pluton (qui pourtant s'ennuyait de perdre) ; mais sortons un instant ; je ne sais quelle odeur fétide vient de se répandre ici.

Or, il cherchait un prétexte pour se débarrasser de Federigo ; car à peine celui-ci était-il dehors avec son sac et ses âmes, que Pluton cria de toute sa force qu'on fermât la porte sur lui.

Federigo, ayant de nouveau traversé la cour des enfers, sans que Cerbère y prît garde, tant il était charmé de sa levrette, regagna péniblement la cime du mont Gibel. Il appela ensuite Marchesella, qui ne tarda pas à le rejoindre, et redescendit vers Messine, plus joyeux de sa conquête spirituelle qu'il ne l'avait jamais été d'aucun succès mondain. Arrivé à Messine, il s'y embarqua pour retourner en terre ferme et terminer sa carrière dans son antique manoir.

(À quelques mois de là, Marchesella mit bas une portée de petits monstres, dont quelques-uns avaient jusqu'à trois têtes. On les jeta tous à l'eau.)

Au bout de trente ans (Federigo en avait alors soixante-dix), la Mort entra chez lui, et l'avertit de mettre sa conscience en règle, parce que son heure était venue.

— Je suis prêt, dit le moribond ; mais, avant de m'enlever, ô Mort, donne-moi, je te prie, un fruit de l'arbre qui ombrage ma porte. Encore ce petit plaisir, et je mourrai content.

— S'il ne te faut que cela, dit la Mort, je veux bien te satisfaire.

Et elle monta dans l'oranger pour cueillir une orange. Mais, lorsqu'elle voulut descendre, elle ne le put pas : Federigo s'y opposait.

— Ah ! Federigo, tu m'as trompée, s'écria-t-elle ; je suis maintenant en ta puissance ; mais rends-moi la liberté, et je te promets dix ans de vie.

— Dix ans ! voilà grand'chose ! dit Federigo. Si tu veux descendre, ma mie, il faut être plus libérale.

— Je t'en donnerai vingt.

— Tu te moques !

— Je t'en donnerai trente.

— Tu n'es pas tout à fait au tiers.

— Tu veux donc vivre un siècle?

— Tout autant, ma chère.

— Federigo, tu n'es pas raisonnable.

— Que veux-tu ! j'aime à vivre.

— Allons, va pour cent ans, dit la Mort, il faut bien en passer par là.

Et elle put aussitôt descendre.

Dès qu'elle fut partie, Federigo se leva dans un état de santé parfaite, et commença une nouvelle vie avec la force d'un jeune homme et l'expérience d'un vieillard.

Tout ce que l'on sait de cette nouvelle existence est qu'il continua à satisfaire curieusement toutes ses passions, et particulièrement ses appétits charnels, faisant un peu de bien quand l'occasion s'en présentait, mais sans plus songer à son salut que pendant sa première vie.

Les cent ans révolus, la Mort vint de nouveau frapper à sa porte, et le trouva dans son lit.

— Es-tu prêt ? lui dit-elle.

— J'ai envoyé chercher mon confesseur, répondit Federigo ; assieds-toi près du feu jusqu'à ce qu'il vienne. Je n'attends que l'absolution pour m'élancer avec toi dans l'éternité.

La Mort, qui était bonne personne, alla s'asseoir sur l'escabeau, et attendit une heure entière sans voir arriver le prêtre. Commençant enfin à s'ennuyer, elle dit à son hôte :

— Vieillard, pour la seconde fois, n'as-tu pas eu le temps de te mettre en règle, depuis un siècle que nous ne nous sommes vus ?

— J'avais, par ma foi, bien autre chose à faire, dit le vieillard avec un sourire moqueur.

— Eh bien, reprit la Mort indignée de son impiété, tu n'as plus une minute à vivre.

— Bah ! dit Federigo, tandis qu'elle cherchait en vain à se lever, je sais par expérience que tu es trop accommodante pour ne pas m'accorder encore quelques années de répit.

— Quelques années, misérable ! (Et elle faisait d'inutiles efforts pour sortir de la cheminée.)

— Oui, sans doute ; mais, cette fois-ci, je ne serai point exigeant, et, comme je ne tiens plus à la vieillesse, je me contenterai de quarante ans pour ma troisième course.

La Mort vit bien qu'elle était retenue sur l'escabeau, comme autrefois sur l'oranger, par une puissance surnaturelle ; mais, dans sa fureur, elle ne voulait rien accorder.

— Je sais un moyen de te rendre raisonnable, dit Federigo.

Et il fit jeter trois fagots sur le feu. La flamme eut, en un moment, rempli la cheminée, en sorte que la Mort était au supplice.

– Grâce ! grâce ! s'écria-t-elle en sentant brûler ses vieux os ; je te promets quarante ans de santé.

À ces mots, Federigo dénoua le charme, et la Mort s'enfuit, à demi rôtie.

Au bout du terme, elle
revint chercher son homme, qui
l'attendait de pied ferme, un sac
sur le dos.

— Pour le coup, ton heure
est venue, lui dit-elle en entrant
brusquement ; il n'y a plus à
reculer. Mais que veux-tu faire
de ce sac ?

— Il contient les âmes de
douze joueurs de mes amis que
j'ai autrefois délivrés de l'enfer.

– Qu'ils y rentrent avec toi ! dit la Mort.

Et, saisissant Federigo par les cheveux, elle s'élança dans les airs, vola vers le Midi, et s'enfonça avec sa proie dans les gouffres du mont Gibel. Arrivée aux portes de l'enfer, elle frappa trois coups.

– Qui est là ? dit Pluton.

– Federigo le joueur, répondit la Mort.

– N'ouvrez pas, s'écria Pluton, qui se rappela aussitôt les douze parties qu'il avait perdues ; ce coquin-là dépeuplerait mon empire.

Pluton refusant d'ouvrir, la Mort transporta son prisonnier aux portes du purgatoire ; mais l'ange de garde lui en interdit l'entrée, ayant reconnu qu'il se trouvait en état de péché mortel. Il fallut donc à toute force, et au grand regret de la Mort, qui en voulait à Federigo, diriger le convoi vers les régions célestes.

– Qui es-tu ? dit saint Pierre à Federigo, quand la Mort l'eut déposé à l'entrée du paradis.

– Votre ancien hôte, répondit-il, celui qui vous régala jadis du produit de sa chasse.

– Oses-tu bien te présenter ici dans l'état où je te vois ? s'écria saint Pierre. Ne sais-tu pas que le ciel est fermé à tes pareils ? Quoi ! tu n'es pas même digne du purgatoire, et tu veux une place dans le paradis !

– Saint Pierre, dit Federigo, est-ce ainsi que je vous reçus quand vous vîntes avec votre divin maître, il y a environ cent quatre-vingts ans, me demander l'hospitalité ?

– Tout cela est bel et bon, repartit saint Pierre d'un ton grondeur, quoique attendri ; mais je ne puis prendre sur moi de te laisser entrer. Je vais informer Jésus-Christ de ton arrivée ; nous verrons ce qu'il dira.

Notre-Seigneur, étant averti, vint à la porte du paradis, où il trouva Federigo à genoux sur le seuil, avec ses douze âmes, six de chaque côté. Lors, se laissant toucher de compassion :

— Passe encore pour toi, dit-il à Federigo ; mais ces douze âmes que l'enfer réclame, je ne saurais en conscience les laisser entrer.

— Eh quoi ! Seigneur, dit Federigo, lorsque j'eus l'honneur de vous recevoir dans ma maison, n'étiez-vous pas accompagné de douze voyageurs que j'accueillis, ainsi que vous, du mieux qu'il me fut possible ?

— Il n'y a pas moyen de résister à cet homme, dit Jésus-Christ. Entrez donc, puisque vous voilà ; mais ne vous vantez pas de la grâce que je vous fais ; elle serait de mauvais exemple.

Prosper Merimee
1803 - 1870

« La sensibilité chez lui était domptée
jusqu'à paraître absente, non qu'elle le fût ;
bien au contraire... »

Taine

28 septembre 1803 : Naissance à Paris
de Prosper Mérimée, fils unique et adoré
de Léonor Mérimée et Anne-Louise Moreau,
bourgeois cultivés. Il aura une éducation très
stricte, car sa mère déteste les démonstrations
d'émotion ou d'affection. Son père
est secrétaire de l'Ecole des Beaux-Arts.

Il fait la connaissance de Stendhal en 1822,
dont il deviendra l'ami et le disciple.

En 1823, Mérimée passe en même temps
ses deux baccalauréats et sa licence en droit.

En 1825, il rencontre Etienne-Jean Delécluze,
plus âgé que lui, peintre, écrivain et critique
qui lui fera connaître Ampère, le fils du grand
physicien et historien lui-même, le pamphlétaire
Courier, le botaniste et voyageur Jacquemont,
l'érudit Fauriel, le philosophe et historien Taine,
et d'autres disciples de Voltaire. Tous écrivains,
tous athéistes et libéraux, ils placent tous
au premier rang des qualités littéraires :
l'observation, la logique et la clarté. Ils mettent
à la mode les sujets modernes et « vrais »,
par opposition à l'académisme du 18ème siècle.

C'est chez Delécluze que Mérimée donnera
la lecture de ses premières œuvres. Il publie six
pièces dans un recueil *Le Théâtre de Clara Gazul*,
en se faisant passer pour le traducteur
d'une comédienne espagnole, et rencontre
un succès immédiat. Suivront en 1827 *La Guzla*
et *La Jacquerie* l'année suivante.

*21 octobre 1803 :
Bataille navale de Trafalgar.
L'amiral anglais Nelson
anéantit la flotte française.*

*18 mai 1804 : Bonaparte,
consul depuis 1799, devient
l'Empereur Napoléon Ier.
L'économie va connaître
une période de prospérité,
mais les guerres aussi !*

*2 décembre 1805 : Victoire
d'Austerlitz contre la Russie,
l'Angleterre, l'Autriche,
la Suède et Naples.*

*1806 : Victoire d'Iena
contre la Prusse.*

*1807 : Victoire de Friedland
contre la Russie.*

1807 : Guerre d'Espagne.

*1809 : Napoléon Ier épouse
Marie-Louise d'Autriche.*

*1812 : Campagne de Russie
et retraite française.*

*1814 : Abdication de
Napoléon, départ pour l'île
d'Elbe.*

Première Restauration :
Louis XVIII roi de France.

Mars à juin 1815 :
Les Cent-Jours.

18 juin 1815 : Défaite
de Waterloo et deuxième
Restauration, jusqu'en
juillet 1830.

1820-1850 : Romantisme
littéraire et artistique :
Byron, Chateaubriand,
Lamartine, Vigny, Musset,
Nerval, Turner, Delacroix,
Géricault.

1824 : Mort de Louis
XVIII et avènement
de Charles X.

1830 : Révolution,
Louis-Philippe Ier devient
roi des Français. C'est
« la Monarchie de juillet ».

1831 : Stendhal :
« Le Rouge et le Noir »

Les sciences sont à
l'honneur : la physique
bénéficie des travaux
de Fresnel en optique,
d'Ampère en électricité.

C'est en 1828 qu'il est assez grièvement blessé lors d'un duel avec Félix Lacoste, mari de sa maîtresse.

Pendant quelques années, Mérimée mène une vie de « fêtard ». De ses origines normandes, il tient une personnalité à deux facettes : c'est un homme raffiné et élégant, un dandy qui ne déteste pas les gauloiseries, un être sociable avec ses amis en même temps qu'indépendant.

En 1829, il publie son plus long roman, *Chronique du Temps de Charles IX*. Mérimée y découvre son talent en contant une histoire d'amour au temps des guerres de religion. L'époque est au dépaysement, Walter Scott (l'auteur d'*Ivanohé*) fait fureur.

La même année, il publie dans une revue ses contes et nouvelles : *Mateo Falcone*, une histoire corse, *La vision de Charles XI*, *L'enlèvement de la Redoute*, sur la campagne de Russie, *Tamango*, sur la traite des Noirs, *Federigo*, légende napolitaine, et *La Perle de Tolède*.
L'année suivante, ce sera *Le Vase Etrusque* et *La Partie de Tric-trac* où il aborde l'analyse psychologique.

C'est en 1830 qu'il reçoit chez lui Stendhal, Sainte-Beuve, et Victor Hugo dont il n'apprécie ni les idées, ni l'art, ni la personne.

Il fait un voyage en Espagne et s'y lie avec Monsieur et Madame de Montijo, parents de la future impératrice.

En 1831, Mérimée est chef de cabinet
au ministère du commerce, ce qui lui laisse le
temps d'écrire, et il reçoit la Légion d'Honneur.

La Double Méprise paraît en 1833.
C'est en 1834 qu'il est nommé inspecteur
des Monuments Historiques.
Jusqu'en 1860, il ne cessera plus de sillonner
la France pour ses tournées d'inspection,
à la recherche des monuments ou objets d'art
à protéger ou restaurer. Il travaille avec de grands
architectes comme Viollet-le-Duc. On lui doit la
restauration de la cathédrale de Laon, de l'abbaye
de Vézelay, de la cité de Carcassonne, etc...
C'est lui qui découvre la tapisserie
de la « Dame à la Licorne ».
Il enrichit ainsi ses connaissances
et son expérience pour son œuvre à venir.

En 1836 débute sa liaison avec Madame
Delessert, le grand amour de sa vie, qui durera
jusqu'à ce qu'elle rompe en 1854.
Mérimée mène une vie dissipée et mondaine,
fréquente Delacroix, Musset, l'archéologue
Lenormant...
Il publie *La Vénus d'Ille*.

Les Montijo s'installent à Versailles, et Stendhal
et Mérimée iront souvent leur rendre visite.
La petite Eugénie a douze ans.

Colomba, histoire d'une vendetta corse, paraît en
1840. Stendhal, le grand ami, meurt en 1842.
Mérimée entre à l'Académie Française, il publie
Arsène Guillot où il met en scène sa maîtresse.

*Les sciences naturelles
bénéficient des travaux
de Lamarck, Cuvier,
Geoffroy Saint-Hilaire.
La médecine progresse grâce
à Dupuytren et Laennec.*

*Février 1848 :
Révolution due à une crise
économique et au refus du
pouvoir de réformer la loi
électorale. Paris s'insurge
et se couvre de barricades.*

*10 décembre 1848 :
Le prince Louis-Napoléon
Bonaparte est élu président
de la République.*

*1848 : Ruée vers l'or
en Californie.*

*1849 :
Mort de Chopin. Apogée
de la musique romantique :
Berlioz, Schubert, Liszt,
Scumann, Wagner,
Brahms.*

*2 décembre 1852 :
Louis-Napoléon devient
l'empereur Napoléon III.*

*16 mars 1856 : Naissance
du prince impérial.*

vers 1860 : Age d'or
du Roman européen :
Dickens, Dumas, Hugo,
Flaubert, Tourgueniev,
Dostoïevski, Tolstoï.

1861 : Abolition
du servage en Russie.

1861-1865 :
Guerre de Sécession
en Amérique.

1863 :
« Le déjeuner sur l'herbe »
d'Edouard Manet.

1865 : Abolition de
l'esclavage en Amérique.

1869 : Ouverture
du Canal de Suez.

19 juillet 1870 :
La France déclare
la guerre à la Prusse.

2 septembre 1870 :
Napoléon III se constitue
prisonnier avec 100 000
hommes. Les Allemands
assiègent Paris.
La IIIème République est
proclamée.

L'Abbé Aubain paraît en 1846,
ainsi que *Carmen*, dont Georges Bizet devait
tirer un opéra en 1875. Mérimée a 43 ans,
mais sa rupture avec Madame Delessert
le laisse « incapable de travailler ».
En effet, il ne publiera plus d'œuvre
d'imagination pendant vingt ans,
et ne reprendra la plume que pour plaire
à la petite Eugénie, devenue entre-temps
impératrice. Il met cependant ces années à profit
pour introduire en France la littérature russe
dont il est passionné en traduisant Gogol,
Pouchkine et Tourgueniev.

Eugénie de Montijo épouse Napoléon III
en 1853.

Mérimée est nommé sénateur, il fait partie
des intimes du couple impérial, mais il souffre
d'asthme et doit passer ses hivers dans le midi
pour se soigner.
Il donne sa démission d'inspecteur général
des monuments historiques.

En 1863, il refuse le ministère de l'instruction
publique pour garder sa liberté.

Pour l'impératrice, il se remet au travail.
Les Cosaques d'autrefois en 1865,
La Chambre Bleue en 1866, *Lokis* en 1868,
et *Djoumâne* seront ses dernières œuvres.

Mérimée meurt à Cannes en 1870,
désespéré par la défaite française de Sedan
et l'écroulement de l'Empire.

MÉRIMÉE : DES EXTRAITS DE SON ŒUVRE

UN HÉROS QUI
RESSEMBLE À MÉRIMÉE

« Il était né avec un cœur tendre et aimant ;
mais à un âge où l'on prend trop facilement
des impressions qui durent toute la vie,
sa sensibilité trop expansive lui avait attiré
les railleries de ses camarades. Il était fier,
ambitieux ; il tenait à l'opinion comme y
tiennent les enfants.
Dès lors, il se fit une étude de cacher
tous les dehors de ce qu'il regardait comme
une faiblesse déshonorante. Il atteignit son but,
mais cette victoire lui coûta cher. Il put céler
aux autres les émotions de son âme trop tendre ;
mais, en les refermant en lui-même, il se les
rendit cent fois plus cruelles. Dans le monde,
il obtint la triste réputation d'insensible
et d'insouciant ; et, dans la solitude,
son imagination inquiète lui créait
des tourments d'autant plus affreux qu'il
n'aurait voulu en confier le secret à personne. »

Le vase étrusque

À PROPOS D'UN
DE SES PREMIERS LIVRES

« Je viens de publier un assez mauvais roman. »

Lettre, 1829

LA PARTIE
DE TRIC-TRAC

« Les voiles sans mouvement pendaient collées
contre les mâts ; la mer était unie comme
une glace ; la chaleur était étouffante, le calme
désespérant. »

La partie de Tric-trac

LA DOUBLE MÉPRISE

« Julie de Chaverny était mariée depuis six ans
environ, et depuis à peu près cinq ans
et six mois elle avait reconnu non seulement
l'impossibilité d'aimer son mari, mais encore
la difficulté d'avoir pour lui quelque estime. »

La Double Méprise

MÉRIMÉE : DES EXTRAITS DE SON ŒUVRE

MADAME DELESSERT

« Je suis amoureux de la perle des femmes. »

Extrait d'une lettre

UNE ŒUVRE DÉDIÉE
À L'IMPÉRATRICE

« Un jeune homme se promenait d'un air agité
dans le vestibule d'un chemin de fer. Il avait des
lunettes bleues, et, quoiqu'il ne fût pas enrhumé,
il portait sans cesse son mouchoir à son nez.
De la main gauche, il tenait un petit sac noir qui
contenait, comme je l'ai appris plus tard, une
robe de chambre de soie et un pantalon turc. »

La Chambre Bleue

CARMEN

« Vous lirez dans quelque temps une petite
drôlerie de votre serviteur qui serait demeurée
inédite si l'auteur n'eût été obligé de s'acheter
des pantalons. »

Extrait d'une lettre, 21 septembre 1845

MADAME DELESSERT,
RUPTURE

« Lorsque j'écrivais, j'avais un but, maintenant
je n'en ai plus. Si j'écrivais, ce serait pour moi,
et je m'ennuierais encore plus que je ne fais. »

Extrait d'une lettre

COLOMBA

« ... On n'est pas assassiné en Corse, comme on
l'est en France, par le premier échappé des
galères qui ne trouve pas de meilleur moyen pour
vous voler votre argenterie : on est assassiné par
ses ennemis ; mais le motif pour lequel on a des
ennemis, il est souvent fort difficile de le dire.
Bien des familles se haïssent par vieille habitude,
et la tradition de la cause originelle de leur haine
s'est perdue complètement. »

Colomba

MÉRIMÉE : SON STYLE

Federigo fait partie des textes de jeunesse de Mérimée. Les premières œuvres de l'auteur sont de courtes pièces très colorées, histoires de passions violentes où l'on peut déjà juger de l'humour de l'auteur et de son talent d'ironiste. Ses nouvelles, comme plus tard ses romans, traduisent le goût de son époque pour l'histoire, pour le dépaysement et pour les destins extraordinaires : l'esprit romantique de la nouvelle transparaît sous la forme du conte.

Les écrivains ont alors un intérêt marqué pour les légendes populaires (en particulier du Moyen Age) et pour l'expression orale qui leur est attachée. C'est pourquoi, le lecteur de *Federigo* a immédiatement le sentiment d'écouter quelqu'un lui raconter une histoire venue du passé. Ici, l'auteur s'amuse en présentant, sous la forme d'un conte napolitain, un savoureux mélange d'époques (Antiquité et ère chrétienne) et de croyances (mythologie et christianisme). L'écrivain adopte un ton froid et sec, celui du conteur oral, mais aussi celui de la distance un peu moqueuse.

La nouvelle commence par une reprise de l'épisode de Philémon et Baucis des *Métamorphoses* d'Ovide, dont Jupiter avait décidé de récompenser la piété. Le Christ et ses apôtres ont ainsi remplacé les dieux païens, et leur hôte n'est plus le couple des vieillards vertueux, mais un joueur invétéré. Le texte se partage de façon subtile entre la voix du conte et la voix de l'écrivain. Passion et humour, sujet grave et ton distancé :

Les sources de Mérimée sont très variées : ses lectures, ses nombreux voyages et rencontres lui sont fort utiles, mais il prend aussi ses amis comme modèles, et sa propre expérience (son duel, ses aventures amoureuses,…).

On retrouve dans son œuvre son peu de goût pour la monotonie de la vie quotidienne, son refus de tout excès de sensibilité. Il ne dit que l'essentiel, choisit les détails indispensables, ce qui donne à son style cette remarquable sobriété, tout en faisant voyager son lecteur dans le temps et l'espace.

Son style concis est une de ses grandes qualités : il raconte sans donner son opinion, ou alors il le fait avec un clin d'œil à ceux qui le connaissent bien. Il aime passer pour un homme froid, indifférent, mais c'est une attitude qu'il se donne.

Mérimée est bien un produit de sa génération romantique : il aime le fantastique, les passions fortes, les descriptions pittoresques, le sens de la fatalité. Mais il contrôle sa sensibilité et veut rester objectif et réaliste. Cela lui demande d'ailleurs beaucoup de travail car son premier jet est souvent lourd et embarrassé. Il polit ses textes à plusieurs reprises, même lors des rééditions successives.

la damnation d'un homme permet son rachat. Federigo devient lui-même le double du Christ : il descend aux enfers pour y rechercher les âmes perdues, celles-ci sont au nombre de douze, comme les apôtres, que Federigo avait justement hébergés si généreusement au début de la nouvelle... Le vin de l'hospitalité est devenu celui du miracle : le Christ est reconnu non pas à sa sainteté, mais pour la qualité du vin, dont il a rehaussé le goût, comme aux noces de Cana.

Mérimée parsème ainsi sa nouvelle prétendument légendaire de nombreuses allusions tantôt à la vie du Christ, tantôt à la mythologie, pour peindre de son style concis et ironique la vie d'un personnage hors du commun, ambigu et moderne, un cousin de Faust et de Dom Juan en quelque sorte.

* *
*